Editorial Fantástico Sur

Atacama Desert

Desierto de Atacama

WILDLIFE & LANDSCAPES ■ *PAISAJES Y VIDA SILVESTRE*

Credits / *Créditos*

General Edition / *Edición General*:
Editorial Fantástico Sur
José Menéndez 858, Depto. 4, Casilla 920, Punta Arenas, Chile
Fono/Fax: +56 61 247 194 • e-mail: info@fantasticosur.com
www.fantasticosur.com
Design / *Diseño*: Ximena Medina O.
Digitalization / Digitalización: Fabián Mansilla
Translation assistance by Scott Jones

All photographs © Fantástico Sur / *Todas las fotografías © Fantástico Sur*

First Edition / *Primera Edición*, Agosto 2005
© 2005, Enrique Couve & Claudio F. Vidal, Fantástico Sur Birding Ltda.

Registro de Propiedad Intelectual Inscripción N° 149052
ISBN: 956-8007-13-X

Atacama Desert

Desierto de Atacama

Atacama Desert

The Atacama Desert is Chile's largest covering 5% of Chile's territory with its 13,900 square miles (36,000 sq. km.). The Atacama Desert lies in the arid zone of western South America, spreading from 15ºS, in southern Peru, down to 30º S near the city of La Serena in Chile. Many of the world's largest deserts including the Kalahari and the Great Desert of Australia also occur at this latitude in the Tropic of Capricorn. The huge Atacama Salt Pan is situated between 23º41'S and 68º33'W, at an altitude of 7,560 feet above sea level (f.a.s.l.) (2,305 meters).

The Atacama is considered the most arid desert of the planet. Skies here remain clear over 300 days a year and in some areas no records of rainfall exist. Stretching along the western slope of the Andes Range, the desert is divided into three areas by altitude. The Inner Desert Area consists of the plateau situated between the Coastal and the Andean mountain ranges. This area varies between 3,600 and 8,200 feet (1,100 and 2,500 meters), with hardly any precipitation and very low humidity. The second zone, the Marginal Tropical Area, includes the first ranges and valleys of the Andes, from 9,180 to 12,460 feet (2,800 and 3,800 meters). This area experiences low precipitation during the summer and slightly higher humidity, due to the effect of rivers and salt pans. Finally, the High Tropical Area exists above 13,120 feet (4,000 meters) in the Andes and is characterized by summer rainfall.

Human occupation in the Atacama Desert basin began around 11,000 years ago, in places with sufficient water to support vegetation. The seeds of algarrobo (*Prosopis chilensis*) and chañar (*Geofroea decorticans*), were both important food sources. Agriculture came later, beginning with corn and continuing with livestock. Following the domestication of Llamas (*Lama glama*) and Alpacas (*Lama pacos*), these camelids became essential for food, transportation and clothing.

The flora of these desert ecosystems has managed to adapt to the rigorous climate and the harsh conditions of altitude. Despite the extreme aridity and scarce vegetation, the Atacama desert depressions hold a wealth of fauna. Of the total of 183 vertebrate species, birds constitute 120 species. Reptiles and amphibians comprise 37 and 5 species respectively. 21 species of mammals include a highly diverse group of camelids, carnivorous rodents, marsupials and bats.

Los Flamencos Nature Reserve was established to protect this fascinating community assemblage. Its 183,000 acres (73,986 hectares) encompass the entire altitudinal gradient from the Inner Desert Area ascending the Andes to the High Tropical Area. All seven sectors of the park are home to a wealth of floral and faunal communities. This reserve includes: the salt pans of Tara, Aguas Calientes and Pujsa in the high plateau, the Valle de la Luna (Moon's Valley) along the edge of the Atacama salt pan, Tambillo, Laguna de Quelara (Quelara Lagoon) and Soncor, and the incomparable scenic Miscanti and Miñiques lakes.

Desierto de Atacama

El Desierto de Atacama es el mas grande de Chile, cubriendo una superficie estimada de 36.000 km^2 equivalente al 5% del territorio nacional. Se ubica en la zona árida del oeste de Sudamérica, que se extiende desde los 15ºS, en el sur del Perú hasta los 30ºS (La Serena), en Chile, emplazándose sobre el Trópico de Capricornio tal como el Desierto de Kalahari o el Gran Desierto de Australia. El enorme Salar de Atacama se sitúa alrededor de los 23º41'S y 68º33'W, a una altitud de 2.305 metros sobre el nivel del mar (m.s.n.m.).

El Desierto de Atacama es considerado el más árido del planeta. Sus cielos permanecen despejados durante 300 días al año y hay sectores donde no existen registros de precipitaciones. Apostado en la ladera occidental de la Cordillera de Los Andes, se distinguen en él tres zonas altitudinales: una zona de Desierto Interior, que es la planicie entre las cordilleras de la Costa y de los Andes, entre los 1.100 y 2.500 metros casi sin precipitaciones y con muy baja humedad; otra zona Tropical Marginal, que incluye los primeros cordones y valles de la Cordillera de los Andes, entre los 2.800 y 3.800 metros, con baja precipitación de lluvias durante el verano y una humedad relativa media por el efecto de ríos y salares; y por último, una zona Tropical de Altura, situada en los Andes sobre los 4.000 metros, caracterizada por precipitaciones estivales.

El origen de la ocupación humana en el área de la cuenca del Desierto de Atacama comienza hace unos 11.000 años, en lugares con suficiente agua para permitir el desarrollo de vegetación. Las semillas de algarrobo (Prosopis chilensis) y de chañar (Geofroea decorticans) consttuyeron importantes fuentes de alimento. Se inició posteriormente la agricultura, con el cultivo de maíz, continuando con las labores pastoriles, tras la domesticación de Llamas (Lama glama) y Alpacas (Lama pacos); la crianza de estos camélidos fue esencial para su alimentación, transporte y vestimenta.

La flora que se encuentra en estos ecosistemas desérticos han logrado adaptarse a las rigurosas condiciones climáticas fuertemente condicionadas por la altitud. A pesar de la extrema aridez y escasa vegetación, el desierto alberga una fauna considerable. De un número total de 183 especies de vertebrados, destacan las Aves con 120 especies. Luego Reptiles y Anfibios comprenden 37 y 5 especies respectivamente. Por último 21 especies de Mamíferos, incluyen un diversificado grupo de camélidos, carnívoros, roedores, marsupiales y murciélagos.

La Reserva Nacional Los Flamencos fue establecida para proteger este fascinante ensamble de comunidades. Con una superficie total de 73.986 hectáreas protege la totalidad de la gradiente altitudinal desde la zona de Desierto Interior ascendiendo los Andes hasta la zona tropical de Altura. Los siete sectores del parque albergan variadas formaciones vegetacionales y faunísticas. Esta reserva incluye los salares de Tara, Aguas Calientes y de Pujsa en el altiplano; al borde del Salar de Atacama, el Valle de la Luna, Tambillo, Laguna de Quelara y Soncor, y finalmente las Lagunas Miscanti y Miñiques, sin lugar a dudas, de inigualable valor escénico.

El Tatio Geysers, one of the world's highest geothermic fields.

Géiseres de El Tatio, uno de los campos geotérmicos más altos del mundo.

■■■ At dawn, huge columns of steam and boiling water burst from underground, projecting hundreds of feet through the frigid mountain air. Here, at an altitude of 14,100 feet (4,300 m.) water boils at only 186°F (86°C).

Al amanecer, enormes columnas de vapor y agua hirviente emergen desde el subsuelo y se proyectan decenas de metros contra el aire frío y cristalino. A una altitud aproximada de 4,300 metros el agua hierve a tan sólo 86°C.

■ ■ ■ Northern Andean Deer /
Taruca / *Hippocamelus antisensis*

The Taruca is a medium-sized deer, with a shoulder height of approximately 32 inches (80 centimeters). Endemic of the altiplano, it moves mostly in rather wary groups of up to 15 individuals. Although its exact population is unknown, it is regarded as an species at the edge of extinction.

La Taruca es un ciervo mediado, de unos 80 centímetros de altura al hombro. Endémico del altiplano, es bastante desconfiado y se traslada generalmente en grupos de hasta 15 individuos. Su población es muy escasa, por lo que es considerada como una especie en peligro de extinción.

■■■ Vicuña / *Vicugna vicugna*

Very graceful and delicate, the vicuna is the second South American camelid comprised of completely wild populations. Vicunas always travels in groups led by a dominant male.

Muy grácil y estilizado, el segundo camélido sudamericano con poblaciones totalmente silvestres, se desplaza por el altiplano en grupos liderados por un macho dominante.

Andean Condor / Cóndor / *Vultur gryphus*

The Condor is the most emblematic symbol in the skies of the High Andes. This massive bird was venerated in diffferent forms by all regional aboriginal cultures. Its wingspan of nearly ten feet (3 meters), makes it the bird with the largest wing area in the world.

Venerado por todas las culturas originarias, el Cóndor es un verdadero símbolo en los cielos de los Altos Andes. Con envergadura cercana a los tres metros, es también el ave con mayor superficie alar del mundo.

■■■ Of the six camelid species in the world, the Guanaco is one of four inhabiting the Chilean altiplano and one of the two with entirely wild populations. It ranges widely from the northern Andes down to Tierra del Fuego. Unfortunately it has been extirpated from the central regions of the Chile.

De las seis especies de camélidos del mundo, el Guanaco es una de las cuatro que habitan el altiplano chileno y una de las dos que viven en estado totalmente silvestre. Se distribuye ampliamente a lo largo de los Andes hasta Tierra del Fuego, aunque se haya extinto en la zona central del país.

Guanaco / *Lama guanicoe*

Bolivian Big-eared Mouse / Ratón Orejudo Boliviano / *Auliscomys boliviensis*

■■■ This small songbird, endemic to the altiplano, lives in bogs and nearby rocky hillsides, over 13,000 feet (4,000 meters) of altitude.

Esta pequeña ave, endémica del altiplano, vive en bofedales y laderas rocosas aledañas, sobre los 4.000 metros de altitud.

Red-backed Sierra-finch / Cometocino de Dorso Castaño / *Phrygilus dorsalis*

■ ■ ■ Church of Machuca / *Iglesia de Machuca*

Machuca is a small Andean settlement dedicated to sheep herding, located in the altiplano at approximately 12,500 feet (3,800 meters). Nearby Machuca lie high Andean bogs with a wealth of flora and fauna.

Machuca es un pequeño asentamiento andino dedicado al pastoreo. Se ubica en el altiplano a unos 3.800 metros de altitud y a sus pies se encuentra un rico bofedal en vida silvestre.

■ ■ ■ Puna Tinamou / Perdiz de la Puna /
Tinamotis pentlandii

This primitive, gregarious and elusive bird camoflages itself with its plumage when threatened. It lives only in the altiplano between 11,400 and 14,700 feet (3.500 and 4500 meters) of altitude.

Esta primitiva, gregaria y escurridiza ave se camufla eficazmente con su críptico plumaje al sentirse amenazada. Habita exclusivamente en el altiplano entre los 3.500 y 4.500 metros de altitud.

■■■ Cardón grande / *Echinopsis atacamensis*,
Cactaceae (Cactus Family)

Llareta / *Azorella compacta*, ■■■
Umbelliferae (Cow Parsley Family)

This arboreal cactus can reach up to 23 feet (7 meters) of height with an approximate diameter of 27 inches (70 centimeters). Although it is considered a vulnerable species, this cactus is still used by natives in the construction of houses, furniture and crafts.

Cacto columnar arbóreo que puede alcanzar hasta los 7 metros de altura y tener un diámetro aproximado de 70 centímetros. Considerada como vulnerable, esta especie es aún utilizada por los nativos en la construcción de viviendas, muebles y artesanías.

The Llareta is a very hard, woody, cushion-like plant of slow growth. It is typical vegetation of the High Andes. Since ancient times it has been used by the inhabitants of the altiplane as fuel.

La Llareta es planta leñosa muy dura y de crecimiento lento, en forma de cojín. Es un representante típico de la vegetación altoandina. Desde tiempos ancestrales ha sido utilizada por los habitantes del altiplano como combustible.

Crested Duck / Pato Juarjual /
Lophonetta specularoides alticola

■■■ Andean Goose / Piuquén o Guayata / *Chloephaga melanoptera*

The only goose of the High Andes nests in rocky hillsides along the borders of bogs. During the winter they gather in small flocks to descend towards more temperate regions.

El único ganso altoandino nidifica en laderas rocosas situadas al borde de bofedales. Durante el invierno se agrupa en pequeñas bandadas para descender hacia regiones más templadas.

San Isidro Chapel / Capilla de San Isidro, Catarpe

■■■ The pass of San Pedro River through Catarpe. From here the ancient inhabitants controlled the water supply to the most important sector of the basin of the Atacama Salt Pan.

Paso del Río San Pedro Catarpe. Desde este lugar los habitantes ancestrales controlaban el abastecimiento de agua en el sector más importante de la cuenca del Salar de Atacama.

Cinnamon Teal / Pato Colorado / *Anas cyanoptera*

■■■ The Pukará de Quitor, located in a crag at the sides of the San Pedro River canyon is an ancient defensive complex surrounded by ayllus (communities).

El Pukará de Quitor, ubicado en un peñón a uno de los costados del cajón del Río San Pedro, es un antiguo complejo defensivo rodeado de ayllus (comunidades).

■ ■ ■

The Pukará de Quitor is a pre-Incan fortress. The strengthened stair-shaped walls were arranged in such a way to facilitate defense at different stages, the highest steps being the last positions to be surrendered.

El Pukará de Quitor es una fortaleza preincaica. Sus muros fortificados y escalonados estaban dispuestos de tal manera de facilitar la defensa por etapas, siendo sus últimas posiciones las de mayor altura.

Magellanic Horned Owl /
Tucúquere / *Bubo magellanicus*

Gecko / Salamanqueja / *Phyllodactylus gerrhopygus*

■■■ The Salt Range (Cordillera de la Sal) is made of successive foldings from the bottom of a former shallow water lake.

La Cordillera de la Sal se originó tras sucesivos plegamientos del fondo de un antiguo lago de aguas poco profundas.

■ ■ ■ The oasis of San Pedro de Atacama lies between the Andes and Domeyko's mountain ranges. The oasis is fed by the waters of San Pedro River, which in turn originates from the rainfall of the Bolivian winter.

El oasis de San Pedro de Atacama se sitúa entre las Cordilleras de Los Andes y de Domeyko. Este es alimentado por las aguas del Río San Pedro, que a su vez se origina por las lluvias del invierno boliviano.

41

■ ■ ■ Tulor is a pre-Hispanic village built early on in the formative period of the Atacama culture. It was located in a suitable place for the agriculture, where the first stable communities of the region were formed.

Tulor es una aldea pre-hipánica construída durante el período formativo de la cultura atacameña, siendo emplazada en un lugar apto para la agricultura, y en la que formaron las primeras comunidades estables de la región.

■ ■ ■ Tulor is located near the ayllu (community) of Coyo, Moon's Valley, and was a spot perfect for trade and exchange of goods between the coast and the interior.

Tulor está situada cerca del ayllu (comunidad) de Coyo, Valle de la Luna, lugar de paso para el comercio e intercambio de bienes y productos entre la costa y el interior.

The Moon's Valley is part of the Salt Range (Cordillera de la Sal). This valley is formed mostly of clay, boron chlorate and salt. As such it is completely sterile, lacking any form of life.

El Valle de la Luna forma parte de la Cordillera de la Sal. Este se haya principalmente formado por arcilla, clorato de boro y sal, siendo completamente estéril y no albergando ningúna forma de vida.

Tres Marías, Moon's Vallye / *Valle de la Luna*

Jere Canyon /
Quebrada Jere

Nest of Variable Hawk / Nido de Aguilucho Común / *Buteo polyosoma*

The Jere Canyon is an oasis whose fresh waters enable fruit trees to be cultivated. Here the volcanic stone liparita, locally known as 'campana' or bell, is extracted and used for building houses.

La Quebrada Jere es un oasis cuyas aguas dulces permiten el cultivo de árboles frutales. Aquí se extrae la piedra volcánica liparita, conocida localmente como "campana", con la que actualmente se construyen viviendas.

Andean Cat / Gato Andino / *Oreailurus jacobita*

Pacific Dove / Paloma de Alas Blancas / *Zenaida meloda*

Burrowing Owl / Pequén / *Athene cunicularia*

■ ■ ■ This rodent lives in the middle of the desert, in huge colonies in underground burrows. Inside its burrows it can avoid the dehydration of the desert environment. It has primarily nocturnal habits, as does most of its predators.

Este roedor vive en enormes colonias, en cuevas bajo tierra, en pleno desierto. Al interior de sus madrigueras evita la deshidratación propia del ambiente desértico. Es de hábitos primordialmente nocturnos, al igual que sus depredadores.

Tawny tuco-tuco / Chululo o Tacorro / *Ctenomys fulvus*

The Atacama Salt Pan is the largest saline deposit of Chile. Its salt originates from the soil due to the dissolution of rainfall. Once on the surface of the salt pan, the accumulating salts evaporate to form a thick rugose crust.

El Salar de Atacama es el depósito salino más grande de Chile. Su sal se origina por la disolución de las sales del suelo por las aguas de lluvia, las que son arrastradas hacia el salar; luego estas se evaporan y las sales aportadas se van acumulando formando una gruesa costra rugosa.

■■■ Chaxa is the most important, most
diverse lagoon of Los Flamencos
Nature Reserve. At approximately
7,500 feet (2,300 meters) of
altitude, it is a water eye appearing
in the middle of the salt pan,
surrounded by a thick salt crust,
in the most arid desert of the world.

*Por su diversidad, Chaxa es la
laguna más importante de la
Reserva Nacional Los Flamencos.
Situada a unos 2.300 metros de
altitud, es un ojo de agua que
brota en medio del salar, que se
haya rodeada por una gruesa
costra de sal, en el desierto más
árido del mundo.*

James' Flamingo / Parina Chica / *Phoenicoparrus jamesi*

■ ■ ■ Three of the world's five flamingo species live in the lagoons of the Atacama Desert.

De las cinco especies de flamencos existentes en el mundo, tres de ellas son posibles de observar en las lagunas del Desierto de Atacama.

Andean Flamingo / Parina Grande
/ *Phoenicoparrus andinus*

James' Flamingo /
Parina Chica /
Phoenicoparrus jamesi

Andean Flamingo /
Parina Grande /
Phoenicoparrus andinus

Chilean Flamingo /
Flamenco Chileno /
Phoenicopterus chilensis

Chilean Flamingo / Flamenco Chileno / *Phoenicopterus chilensis*

Andean Avocet / Caití / *Recurvirostra andina*

■■■ The flamingo breeding areas are located in a manner to avoid land predators, either in islets, surrounded by water or a deep layer sediment. Flamingos begin their breeding activities in August, not ending until mid July of the following year.

Las áreas de reproducción de flamencos se caracterizan por ubicarse en islotes, rodeados de agua o por sedimentos profundos, a manera de evitar depredadores terrestres. Los flamencos comienzan sus actividades reproductivas durante agosto, culminando hacia mediados de julio del año siguiente.

Puna Plover / Chorlo de la Puna / *Charadrius alticola*

Lizard / Lagartija del Salar / *Liolaemus sp.*

■■■ Cacti are higher plants of the New World. A total of 145 species have been recorded in Chile, of which more than 100 are endemic. In this high desert zone cushion-like forms predominate.

Los cactos son plantas superiores de origen americano. En Chile existe un total a 145 taxones, de los cuales más de 100 son endémicos. En esta zona desértica de altura predominan las especies en forma de cojines.

Chuchampe /
Maihueniopsis atacamensis,
Cactaceae (Cactus Family)

Perrito o Puskaye /
Cumulopuntia sphaerica,
Cactaceae (Cactus Family)

■ ■ ■ Talabre Viejo is an ancient agricultural settlement. It was deserted after being devastated by mud floods during last century. Villagers still occupy its agriculture terraces and honor its cemetery.

Talabre Viejo es un antiguo asentamiento agrícola que fue abandonado tras ser arrasado por aluviones durante el siglo pasado. Los lugareños aún continúan ocupando sus terrazas de cultivos y visitando su cementerio.

Northern Viscacha /
Vizcacha / *Lagidium
viscacia*

Diademed Sandpiper Plo
/ Chorlo Cordillera
/ *Phegornis mitch*

■■■

Alpaca (*Lama pacos*)

Like the Llama, its populations are now completely domesticated. The Alpaca is especially valued for its abundant and excellent wool.

Al igual que la Llama, hoy sus poblaciones están completamente domesticadas. La Alpaca es especialmente valorada por su abundante y excelente lana.

Newly-born Llama / *Cría de Llama o "llamito"* / *Lama glama*

■■■ The bog (bofedal) of Tumbre's Gully, place for llama herding during the summertime. This diverse ecosystem hosts one of the richest in fauna in the whole area.

El bofedal de Quebrada de Tumbre, lugar de majadas durante la época estival, es un ecosistema muy diverso y uno de los más ricos en fauna de todo el sector.

Capachito / *Calceolaria pinifolia*, Scrophulariaceae (Foxglobe Family)

■■■

Soncor, a small and old hamlet, is known for its vegetable gardens. The history of its first settlers remains recorded in the petroglyphs of its bordering gullies.

Soncor, pequeño y antiguo caserío reconocido por sus huertos de hortalizas. La historia de sus primeros pobladores permanece grabada en los petroglifos de sus quebradas aledañas.

Clavel Ortiga o Itapaya / *Caiophora coronata*, Loasaceae (Stickleaf Family)

■■■

The small village of Socaire is an agricultural settlement located in an oasis of the altiplano at approximately 11,500 feet (3,500 meters) of altitude. It is known for its conspicuous agricultural terraces and the architecture of its church.

El pequeño asentamiento de Socaire es un poblado agrícola ubicado en un oasis altiplánico a unos 3.500 metros de altitud. Destaca en él la arquitectura de su iglesia y las notables terrazas de cultivo de la comunidad andina.

■ ■ ■

This shrubby-growing cactus, is rather abundant in the pre-Andean slopes. Its edible fruits have long been consumed by natives.

Este cactus de crecimiento arbustivo, es bastante abundante en la precordillera andina, donde ha sido por largo tiempo valorada por los nativos por sus frutos comestibles.

Cactus Viejito o Chastudo /
Oreocereus leucotrichus,
Cactaceae (Cactus Family)

■■■ The impressive scenery surrounds the brackish lagoons of Miscanti and Meñiques, in Los Flamencos Nature Reserve. Lying at approximately 13,800 feet (4,200 meters) of altitude, these two lakes are home to nearly the whole Chilean population of Horned Coot.

El impresionante escenario que rodea a las salobres lagunas de Miscanti y Meñiques, en la Reserva Nacional Los Flamencos. Situadas a unos 4.200 metros de altitud, ambas concentran casi la totalidad de la población de Tagua Cornuda del altiplano de Chile.

Greater Yellow-Finch /
Chirihue Dorado /
Sicalis auriventris

Black-hooded Sierra-Finch /
Cometocino del Norte /
Phrygilus atriceps

Golden-spotted
Ground-Dove /
Tortolita de la Puna /
Metriopelia aymara

Laguna Miscanti

Andean Gull / Gaviota Andina / *Larus serranus*

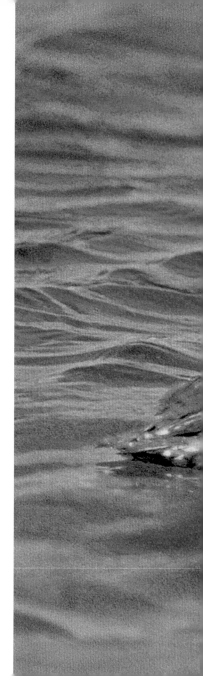

Horned Coot / Tagua Cornuda / *Fulica cornuta*

Laguna Meñiques

Licancabur Volcano (19,410 feet) /
Volcán Licancabur (5,916 m.)

At certain oases the desert is only a mirage

En ciertos oasis el desierto es sólo un espejismo

Mario Benedetti